Écoutez, dit l'âne

Le récit du premier Noël

Jean Little

Illustrations de

Werner Zimmermann

Texte français de
Marie-Josée Brière

Éditions Scholastic

Les peintures ont étés réalisées à l'aquarelle et au crayon
sur du papier d'Arches pour aquarelle.

Le titre a été composé en caractères DeVinne.
Le texte a été composé en caractères Bookman Light Italic et ITC Caslon Book.

Catalogage avant publication de Bibliothèque et Archives Canada

Little, Jean, 1932-
[Listen, said the donkey. Français]
Écoutez, dit l'âne : Le récit du premier Noël / Jean Little;
illustrations de Werner Zimmermann;
texte français de Marie-Josée Brière.

Traduction de : Listen, said the donkey.
ISBN 0-439-95783-4

1. Jésus-Christ--Nativité--Romans, nouvelles, etc. pour la jeunesse.
I. Zimmermann, Werner II. Brière, Marie-Josée III. Titre.
IV. Titre : Listen, said the donkey. Français.
PS8523.I77L5314 2006 jC813'.54 C2006-901595-3

Édition publiée par les Éditions Scholastic,
604, rue King Ouest, Toronto (Ontario) M5V 1E1 CANADA.

6 5 4 3 2 1 Imprimé au Canada 06 07 08 09 10

À Margie Mackay, avec toute mon affection
— J.L.

À la mémoire de ma mère, Katharina, et en souvenir de toutes les histoires qu'elle nous racontait quand nous étions enfants
— W.Z.

Dans l'étable

Il y avait enfin de la place à l'auberge. Une servante vint chercher Marie, Joseph et leur bébé dans l'étable délabrée où ils avaient trouvé refuge.

La porte se referma sur eux. Un âne, une brebis, un chat et un minuscule chien blanc s'étirèrent doucement et se levèrent. À la fenêtre, un vieux chameau les regardait.

Depuis des jours, les animaux entendaient Marie et Joseph parler, et le bébé pleurer ou gazouiller. Mais maintenant, tout était calme.

La brebis brisa le silence.

— Je m'ennuie du bébé, dit-elle.

— Moi aussi, fit le chat.

— Écoutez, dit l'âne, je crois qu'une histoire nous ferait du bien. Chacun de nous pourrait raconter ce qui l'a amené ici, la nuit où l'enfant est né.

— Bonne idée! répondit la brebis. J'adore les histoires.

— C'est moi qui devrais commencer, déclara le chameau. Après tout, j'ai fait la plus longue route et je suis, de loin, l'animal le plus important ici.

Le chat se hérissa, si bien qu'il parut énorme. Ses yeux dorés lançaient des éclairs.

— L'âne était ici en premier, fit-il remarquer, et c'était son idée. C'est lui qui doit commencer.

— Oui, vas-y, l'âne, dit le petit chien. Nous t'écoutons.

Le chat, la tête haute, alla s'étendre près de la mangeoire. La brebis se blottit dans le foin. Le petit chien demeura roulé en boule dans un coin sombre. Le chameau renâcla, mais resta à la fenêtre.

Et l'âne commença son récit.

L'histoire de l'âne

Autrefois, j'avais toujours faim. Il n'y avait jamais assez de foin dans ma mangeoire. Et mon seau d'eau restait vide.

— J'aurais volé de la nourriture, dit le chat.

— Je me serais sauvé, murmura le chien.

— J'espère bien que l'histoire va devenir plus réjouissante, maugréa le chameau.

J'étais attaché, alors je ne pouvais pas me sauver. Mon maître ne me laissait jamais me reposer. Il me battait en criant : « Travaille plus fort! Va plus vite! » Mais j'avais beau travailler de toutes mes forces et trotter le plus vite possible, il me battait quand même.

— Il y a des gens bien cruels, dit le chien en frissonnant.

Un jour, mon maître a voulu me faire gravir une colline escarpée. Mais ma charge était trop lourde. Alors, j'ai refusé d'avancer. Mon maître m'a tellement fouetté que j'ai failli tomber, mais j'étais tout simplement incapable de porter cette charge.

— Qu'est-ce qui l'a arrêté? demanda le chat.

Un homme et une femme passaient par là.

« Joseph, nous avons besoin d'un âne », a dit la femme.

« En effet, a répondu l'homme, mais pas de cet âne-là. Il est bien trop maigre. »

« Je vais l'engraisser », a dit la femme.

« Regarde-le! Il est malade », a répliqué l'homme.

« Je vais le guérir, a insisté la femme. Achète-le, Joseph. Ce sera notre ami. »

— Moi, mon maître ne m'aurait jamais vendu, se vanta le chameau.

Le chat le fixa du regard. Le bout de sa queue remuait.

Après avoir pris l'argent de Marie et de Joseph, mon maître leur a dit qu'ils étaient des imbéciles.

« Cet âne-là ne durera pas une semaine », a-t-il prédit.

Mais Marie et Joseph m'ont emmené dans une étable bien chaude et bien sèche, où j'ai vite repris des forces. Ils m'ont sauvé la vie.

— C'est tout? demanda la brebis.

— Chut! fit le chat. Qu'est-ce qui s'est passé ensuite, l'âne?

Joseph faisait des préparatifs de voyage. Il a déposé dans mes sacoches de la nourriture et des linges très doux. J'ai porté Marie sur mon dos pendant une bonne partie du trajet, parce qu'elle allait bientôt avoir un bébé.

— Notre bébé? demanda le chien.

— Oui, notre bébé, répondit l'âne.

Il se tut quelques instants avant de reprendre son récit.

Les routes étaient encombrées de voyageurs. Nous n'avancions pas vite, pour ménager Marie. Quand nous sommes arrivés ici, il était très tard. Nous avons fait le tour des auberges de la ville, mais il n'y avait plus de place nulle part.

— Pauvre Marie, dit la brebis.

Joseph était très inquiet. Enfin, une femme nous a laissés dormir ici, dans sa vieille étable. Marie a eu son bébé ici même, sur la paille.

Au début, il faisait chaud dans l'étable. Marie et Joseph ont emmailloté l'enfant avec les linges qu'ils avaient apportés dans mes sacoches. Et ils lui ont fait un berceau dans la mangeoire.

Puis des visiteurs sont venus : des bergers et des villageois, des rois et des anges. Marie était épuisée. Quand les visiteurs sont partis et qu'elle a pu enfin s'endormir, Joseph avait bien l'intention de veiller sur elle et sur le petit. Mais il était tellement fatigué qu'il s'est endormi, lui aussi.

Mais moi, je suis resté éveillé. À l'aube, le vent s'est levé, et il s'est mis à faire très froid. Le bébé grelottait. Alors, je l'ai réchauffé de mon souffle et j'ai ajouté de la paille dans son berceau pour qu'il soit bien couvert. Le froid a fini par réveiller Joseph. Il s'est précipité vers la mangeoire, puis il m'a souri.

« Tu l'as gardé au chaud, m'a-t-il dit. Marie avait raison. Tu es notre ami. Et tu as sauvé la vie d'un roi. »

— C'est un roi, en effet, dit la brebis. C'est ce que les anges ont dit. Ils ont annoncé qu'il serait le sauveur de toutes les brebis. Ce n'est pas un bébé comme les autres.

— Ce n'étaient pas des anges, grommela le chameau. Il n'y a qu'une brebis pour dire des choses pareilles!

— J'aurais fait la même chose pour n'importe quel bébé, fit l'âne à voix basse. Je sais ce que c'est que d'avoir froid.

Il y eut un silence. Puis le chat dit doucement :

— C'est à ton tour maintenant, la brebis.

Et la brebis commença son récit.

L'histoire de la brebis

J'étais encore toute petite la nuit où les anges sont apparus.

— Je te dis que ce n'étaient pas des anges, répéta le chameau. C'était une nouvelle étoile.

— Non, dit la brebis. Le ciel entier est devenu blanc. J'ai vu des ailes étincelantes, et j'ai entendu des chants. C'étaient des anges.

— Continue, la brebis, dit le chat en agitant la queue, les yeux tournés vers le chameau.

Les anges nous ont dit de nous rendre à l'étable. « Vous y trouverez un bébé couché dans une mangeoire. Il sera le sauveur de toutes les brebis. »

— Je pense que tu n'as pas bien compris, l'interrompit le chat.

Le chameau renâcla. Mais il ne dit rien.

Les bergers se sont précipités vers l'étable. Le petit garçon qui s'occupait de moi m'a prise dans ses bras et les a suivis en courant jusqu'ici. Nous avons vu des gens qui donnaient des cadeaux. Un roi est entré, juste devant nous. Il a donné de l'or au petit!

Alors, mon berger s'est avancé et il m'a déposée à côté du bébé. « Une brebis, c'est aussi beau que de l'or », a-t-il dit.

— Est-ce que Marie et Joseph vont te garder? demanda le chien, toujours tapi dans l'ombre.

— Je pense qu'ils vont me redonner au petit berger, répondit la brebis. Je serais bien contente. C'est un bon garçon. Et il m'aime.

— Comme ce doit être bon d'être aimé… murmura le petit chien.

— Mon étoile est bien plus intéressante que des anges, dit le chameau. Si tu as à peu près fini, la brebis, je pense que c'est à mon tour.

— J'ai hâte d'entendre ça! lança le chat, les yeux brillants.

Et le chameau commença son récit.

L'histoire du chameau

Je viens d'un endroit très loin à l'est...

— Qu'est-ce que c'est, « l'est »? demanda la brebis.

— Tu ne comprendrais pas si je te l'expliquais, rétorqua le chameau. Contente-toi d'écouter.

La petite brebis baissa la tête.

— Excuse-moi, dit-elle.

Le chat cracha, puis se dirigea vers la brebis.

— Pose-lui une autre question, suggéra-t-il. Demande-lui pourquoi il est resté ici quand les rois sont partis.

La brebis leva la tête vers le chameau. Mais avant qu'elle puisse ouvrir la bouche, le chameau se hâta de reprendre son récit.

Melchior, mon maître, est très riche. Il habite un magnifique palais. Il a deux amis qui, comme lui, sont extrêmement savants. Ce sont des mages; ils étudient les étoiles. Une nuit, j'ai entendu mon maître crier :

« Je vois une nouvelle étoile. Elle est énorme et très brillante. Je n'en ai jamais vu de pareille. »

Ses amis sont venus le rejoindre et ils se sont mis à crier, eux aussi :

« Il faut suivre cette étoile, ont-ils dit. Elle annonce sûrement la naissance d'un grand roi. »

— Comment sais-tu ce qu'ils ont dit? demanda le chat d'une voix mielleuse. Je ne savais pas que les chameaux vivaient dans des palais.

Le chameau le regarda de haut.

— J'entends beaucoup de choses, lui répondit-il froidement, avant de poursuivre son histoire.

Ils se sont préparés pour un long voyage. Ils ont emporté de la nourriture et des tentes. Et aussi des cadeaux magnifiques. C'est moi qui portais l'or – le plus beau de tous les cadeaux. Ils m'ont choisi parce que je suis le meilleur des chameaux. Nous sommes donc partis en une grande caravane pour trouver le nouveau roi.

— Comment saviez-vous où aller? demanda le chien.

— Tu vas voir, dit le chameau.

Nous avons cheminé pendant des semaines. Comme nous suivions l'étoile, nous voyagions la nuit. L'étoile brillait d'un vif éclat blanc.

Je pensais que l'étoile nous mènerait vers la grande ville, mais le roi, là-bas, nous a dit qu'il n'avait jamais entendu parler d'un nouveau roi. Nous avons donc poursuivi notre route et nous sommes arrivés ici. Alors, Melchior et ses amis ont donné leurs cadeaux à l'enfant. Je ne comprends toujours pas pourquoi. Comment un roi aurait-il pu naître ici? Ce n'est vraiment pas un endroit digne d'une naissance royale. Et ces gens-là n'ont rien d'extraordinaire.

— Ce sont les êtres les plus merveilleux du monde, dit l'âne avec chaleur.

— Les anges ont dit aux bergers qu'ils trouveraient un bébé couché dans une mangeoire, ajouta la brebis. Et ils l'ont trouvé.

— Tes mages ont laissé leurs somptueux cadeaux ici, dit le chat. Même ton or si fin. Est-ce qu'ils auraient fait erreur, vieux chameau?

— Les hommes les plus sages peuvent se tromper, répondit le chameau.

Mais, pour la première fois, il n'avait pas l'air tout à fait certain.

— Attends d'entendre *mon* histoire, dit le chat. Écoute bien, vieux chameau.

Et le chat commença son récit.

L'histoire du chat

Mon maître vivait dans un palais. C'était un grand sage, un mage qui étudiait les étoiles. Mais même les hommes les plus sages peuvent avoir des chameaux idiots. Le vieux chameau de mon maître était le plus stupide de toute la Perse.

— Quoi? s'écria le chameau. Ne l'écoutez pas! Ce n'est qu'un chat. Comment ose-t-il?

— Je suis un chat persan, déclara le chat, et mon maître s'appelait… Melchior.

Tous les yeux se tournèrent vers le vieux chameau. Il baissa la tête. L'étable était tellement silencieuse qu'on aurait pu entendre une souris éternuer.

J'étais dans la pièce quand mon maître a vu l'étoile pour la première fois. Comme j'étais en train de me nettoyer les moustaches, je n'ai pas fait attention. Les moustaches, c'est difficile à nettoyer. Mais le maître s'est précipité vers moi et m'a soulevé dans les airs.

« Cette étoile… C'est sûrement le signe qu'un nouveau roi est né, s'est-il écrié. Nous allons partir à sa recherche. »

Je m'ennuyais. Les palais ne sont pas des endroits très amusants. Alors je suis parti avec lui.

Melchior montait un chameau jeune et fort. Comme il faisait froid, il me gardait à l'intérieur de son manteau. Je suis un chat de grande lignée, vous savez.

Le chien, la brebis et l'âne hochèrent la tête. En effet, c'était un chat très distingué.

Le chameau renâcla encore une fois. Mais discrètement.

Si nous sommes arrivés si tard, c'est à cause de ce vieux chameau-là. Il nous a fait prendre la mauvaise route. Mon maître ne s'en est pas aperçu tout de suite parce qu'il dormait, alors nous nous sommes rendus dans une autre ville.

Nous n'aurions pas dû aller là-bas, parce que le roi, Hérode, est un méchant homme. Il est jaloux. Et il n'a même pas de chat. Nous avons quitté la ville d'Hérode et nous sommes venus ici. Ce chameau ne portait pas l'or, mais les tentes. Ce n'est qu'un animal de bât. En plus, il est vieux et il boite. Les mages l'ont laissé ici pour qu'il soit vendu.

Le chat se tut, et il y eut un silence.

— Et toi, pourquoi es-tu encore ici? demanda enfin la brebis.

— Je vais où je veux, répondit le chat. J'aime ce bébé. Je le fais sourire. Melchior voulait me ramener avec lui, mais je suis resté. Je suis un sage moi aussi, et même plus que lui.

— Ton nouveau maître n'est qu'un bébé, grommela le chameau. Tu penses que c'est un sage aussi, je suppose?

— Tous les petits sont sages quand ils naissent, répondit le chat. Et celui-ci est un petit roi. Quand il deviendra un homme, il sera sans doute un très grand sage. Et maintenant, le chien, raconte-nous ton histoire.

Le petit chien resta caché dans son coin.

— J'ai peur, murmura-t-il. Il faudrait que je puisse vous faire entièrement confiance.

Il jeta un coup d'œil vers la fenêtre.

Le vieux chameau soupira.

— Tu peux me faire confiance, petit chien. Je suis parfois stupide et grognon, mais je ne suis pas méchant. Je voulais qu'on m'admire, c'est tout.

— Alors, je te fais confiance, dit le chien. Mais si quelqu'un vient, ne dites pas que je suis ici.

Les animaux s'installèrent confortablement pour écouter le dernier récit.

L'histoire du chien

Je me suis sauvé le soir de notre arrivée. Ma maîtresse est la femme d'un homme riche. Elle allait rendre visite à sa mère, mais elle est tombée malade. Alors, nous nous sommes arrêtés ici.

Elle ne me laisse pas en liberté. Jamais! Elle me garde toujours dans une cage ou sur ses genoux. Et, quand elle n'est pas contente de moi, elle me bat.

Pendant notre première nuit ici, ma maîtresse s'est mise dans une telle colère qu'elle m'a projeté à l'autre bout de la pièce. Comme la porte de l'auberge était ouverte, je me suis sauvé.

Le maître a crié que je valais très cher et il a ordonné à la servante de sa femme de me retrouver. Mais la servante est mon amie.

« Bonne chance, petit chien, m'a-t-elle dit quand elle m'a rattrapé. Sauve-toi! »

Elle a dit au maître qu'elle n'avait pas pu me trouver.

Mais le maître a offert une récompense à quiconque me ramènerait. Alors, le garçon d'écurie me cherche partout.

— Ta maîtresse va peut-être abandonner ses recherches, dit l'âne gentiment.

— Peut-être, répondit le petit chien, parce qu'elle ne m'aime pas. Elle me garde seulement pour me montrer à tout le monde. Il n'y a pas beaucoup de gens qui ont un chien comme moi. Ma maîtresse est vaniteuse et cruelle, ajouta-t-il. Je ne retournerai jamais auprès d'elle. J'ai très faim ici, mais je suis bien décidé. J'aimerais mieux mourir que d'y retourner.

— Mais Marie et Joseph ne savent pas pourquoi tu te caches, fit remarquer la brebis. Ils pourraient dire à quelqu'un où tu es.

— Ils ne m'ont pas vu, dissimulé dans mon coin, répondit le chien. Seul le bébé sait que je suis ici. Il est adorable! Je le fais sourire moi aussi, le chat. Je n'avais jamais aimé personne avant, mais j'aime tant notre bébé! Je ferais n'importe quoi pour lui.

L'histoire de Noël

La porte de l'étable s'ouvrit. Le petit chien recula dans l'ombre. Mais ce n'étaient que Marie et Joseph.

— Tu es sûr qu'il faut partir? murmura Marie.

— Nous courons un grave danger, dit Joseph. L'ange que j'ai vu en rêve a dit qu'il fallait fuir en Égypte, avec l'enfant. Hérode nous cherche!

Les animaux regardèrent silencieusement Joseph charger les sacoches sur le dos de l'âne. Dans les bras de Marie, le bébé dormait.

— C'est un long voyage, souffla le chameau. Le petit pourrait avoir froid.

— Mais tu viens de dire que ce bébé n'avait rien d'extraordinaire, il me semble, ronronna le chat.

— Je ne le pensais pas vraiment, dit le chameau. Pardonne-moi, le chat. Je sais maintenant que ce doit être un roi. Ou le sauveur de toutes les brebis. C'est bien ce que tes anges ont dit, n'est-ce pas, la brebis?

La brebis hocha la tête.

— Je pars avec eux, annonça le chat. Ils vont avoir besoin de moi pour les guider. Sans compter que les Égyptiens vénèrent les chats. Allons-y, l'âne, mon ami!

Discret comme une ombre, le chat emboîta le pas aux voyageurs.

Joseph fit sortir l'âne dans le silence de la nuit.

— Où allez-vous, monsieur? lui demanda le garçon d'écurie.

— Le temps est venu de retourner chez nous, répondit Joseph. Nous ne pouvons pas emmener la brebis avec nous. Peux-tu la rendre à son berger?

Le chameau tourna la tête pour les regarder s'éloigner. La brebis se recoucha en attendant de partir à son tour. Le petit chien resta dans sa cachette.

— S'ils retournent à Nazareth, se dit le garçon d'écurie à voix haute, pourquoi sont-ils partis vers le sud plutôt que vers le nord?

Après son départ, le chameau demanda :

— Pourquoi n'es-tu pas parti avec eux, le chien? Tu aurais pu t'en aller avant que tes maîtres s'éveillent. Et tu serais libre à l'heure qu'il est.

— Je… Je pense que je dois rester encore un peu, dit le chien.

Vers le milieu de la journée, des soldats arrivèrent.

— Y a-t-il un bébé qui est né ici? demanda l'un d'eux d'une voix rude. Le roi Hérode nous a envoyés à sa recherche.

— Oui, un bébé est né ici, répondit le garçon d'écurie, mais il est parti. Ses parents étaient de Nazareth. Ils ont dit qu'ils retournaient chez eux, mais…

Le petit chien traversa soudain la cour à toute vitesse.

— Le chien perdu! s'écria le garçon. Je dois l'attraper pour toucher la récompense!

Le chien se faufila derrière un chariot, ressortit en courant, fit demi-tour et se précipita dans une ruelle, le garçon à ses trousses.

— Nazareth, hein? dit le soldat. Eh bien, ils ne sont sûrement pas très loin. Allons-y! Hérode veut cet enfant!

Et il lança ses soldats sur la route du nord.

Le garçon d'écurie finit par attraper le chien. Il le rapporta à sa riche maîtresse et reçut sa récompense.

Quelques heures plus tard, la femme et son mari quittèrent l'auberge à leur tour. La servante transportait le chien dans sa cage.

À travers les barreaux, elle lui caressait les oreilles.

— Tu es une brave bête, lui murmura-t-elle.

Pour toute réponse, le chien agita sa queue touffue.

— Pourquoi n'est-il pas resté caché? demanda la brebis. Il avait tellement peur de sa maîtresse. Il devait pourtant savoir que le garçon l'attraperait.

— Oui, il devait le savoir, répondit le chameau.

Il s'éclaircit la voix.

— Il a lancé les soldats sur une mauvaise piste, vois-tu. Ils sont partis vers le nord plutôt que vers le sud, où est notre bébé. Le temps qu'ils se rendent compte de leur erreur et qu'ils rebroussent chemin, le petit sera en sécurité. Et le chien aura accompli sa mission.

— Mais il ne le saura jamais, protesta la brebis. Il a peut-être sauvé le petit, mais nous n'en sommes pas sûrs. Il ne le saura jamais.

— Je ne pense pas que cela le dérange, dit le vieux chameau d'une voix chargée d'admiration.

C'est alors que le petit berger vint chercher la brebis. Pendant qu'ils s'éloignaient, le chameau cria à la brebis :

— Je m'étais trompé, la brebis. Tu as bel et bien vu des anges.

— Je sais, répondit la brebis. Adieu, vieux chameau!

Le chameau regarda s'éloigner la brebis jusqu'à ce qu'elle disparaisse. Puis il pencha la tête pour jeter un dernier coup d'œil dans l'étable vide.

Vide? Pas tout à fait... Une minuscule souris l'observait.

— Je suis contente que ce chat soit enfin parti, dit la souris. De quoi parliez-vous donc tous les cinq?

— Écoute, dit le chameau. Écoute bien, la souris. J'ai des histoires à te raconter.